ピトキン・ガイド

ビアトリクス
ポター

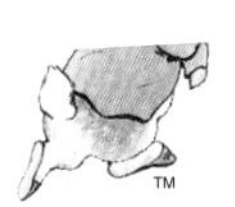

魔法の目 — ビアトリクス・ポター：芸術家、作家、田園暮らし

ビアトリクス・ポターの巧みな文章と美しい挿画からなる絵本は、100年以上にわたって子供たちの間で人気を保ち続けています。ピーターラビット、ベンジャミンバニー、ティギーおばさんを生き生きと思い浮かべることのできる子どもは無数におり、そして子どもたちの親もまた、幼い頃に小動物が登場する彼女の絵本を読んだ記憶があることでしょう。

しかし、魅力と楽しさが褪せることのないこれらの絵本は、自らは子どもを持つことがなく、幼年時代は思ったほどには幸せではなかった女性が創作したものなのです。

著者は、文と絵を創作する非凡の才能に恵まれ、キャラクターが鮮やかに描かれる絵本の舞台となったイギリスの田園地方とはかけ離れたロンドンの裕福な中流上層階級の家庭に生まれながらも、田園暮らしに魅せられて技術高い農夫となりました。

大人になり作家・芸術家として成功したにもかかわらず、ビアトリクス・ポターは、従順であることを要求する両親の忠実な娘であり、話し相手であり続けたのです。だからこそ、40歳近くになって湖水地方のニア・ソーリーにあるヒルトップ農場（他のどこよりも彼女とゆかりの深い場所）を購入したのは感情的にも、肉体的にも勇気のいる行動でした。

彼女の絵本創作を花開かせたのは、何よりも出版担当者ノーマン・ウォーンとの間に育まれた恋愛感情でありました。最終的にノーマンはビアトリクスにプロポーズし、ビアトリクスの両親の反対を押し切って二人は婚約しました。しかし、結婚を認めない彼女の両親を除いて誰にも知らされることのなかった二人の婚約は、指輪を交換したわずか1カ月後にノーマンが急逝するという痛ましい出来事のため長く続くことはありませんでした。

ビアトリクスは幸せをつかむ第二のチャンスを信じ、この出来事を全身全霊で受け止めます。ノーマンの死後すぐに、彼女は湖水地方の農場を最終的に自分のものとし、農場主、地主、熱心な自然保護運動家として成功をおさめた後にウィリアム・ヒーリスの妻となって、その後30年間、幸せで友達のような歳月をヒーリスと分かち合いました。

世界中で何百万部ものベストセラーとなったピーターラビットとなかまたち、そしてその作者は、世界的に有名になったのです。こうした成功のおかげで、彼女はインスピレーションの源であり自分を支えてくれた自然、そしてみずから保護と保全に全力を傾けた自然の中で人生の後半を送ることができたのです。

左：1923年にビアトリクス・ポターが購入した湖水地方のトラウトベック・パーク農場。

「愛情に乏しかった生家」

ビアトリクスは後年、「愛情に乏しかった生家」と口にすることになります。孤独で病気がちな子供だったビアトリクスは、母ヘレンと好ましい母娘関係を築くことができなかったからです。父にはかわいがられましたが、実家を出た後ですらビアトリクスは生涯のほとんどを両親の影響力の下に送ったのでした。

「弟と私はロンドンで生まれました。父がロンドンで弁護士をしていたからです」これはビアトリクスが75歳のときに書いた文です。続く文で新たな事実が明らかになります。「けれども、私たちのルーツ、言うならば私たちの関心と至福は北の地にありました」湖水地方に不動産を購入したとき彼女は一族の故郷に帰ることになりました。47歳で結婚してソーリーに居を移すまで、安らぎを求めてロンドンからこの地にたびたび足を運びました。

彼女の父方と母方の家系の財産はどちらも北部で築かれたものだったのです。父方の祖父エドマンドはマンチェスターに近いグロソップで大きなサラサ捺染工場を所有しており、啓蒙的な雇用主として、図書室、読書室、子供の工員と従業員の子供のための学校、妥当な値段で食事ができる食堂を提供していました。

エドマンドとその妻でビアトリクスが大好きだった美しい祖母ジェシー・クロンプトンは、熱烈なユニテリアンでした。ジェシーは湖水地方の地主の娘で、父の急進的な政治的見解を受け継いでいました。

一家の友人の中には、どちらも下院の自由党員になった政治家のリチャード・コブデンやクエーカー教徒のジョン・ブライトがいます。ウィリアムとエリザベスのギャスケル夫妻はポター家の常連客で、夫はマンチェスターのクロスストリート・ユニテリアン教会の雄弁な牧師、妻は社会問題に取り組む小説家でした。

ジェシー・ポター
と
エドマンド・ポター

エドマンドとジェシー・ポター夫妻は孫娘ビアトリクスが生まれた年の1866年に、退職しハートフォードシャー、ハットフィールドのカムフィールド・プレースに移り住みます。ロンドンの堅苦しい生活から逃れられる場所としてビアトリクスが愛したのがカムフィールド・プレースでした。

左：カムフィールド・プレースで撮ったエドマンドとルパート・ポター。

下：ビアトリクスの祖父母エドマンドとジェシー・ポター夫妻が住んだハートフォードシャーの邸宅、カムフィールド・プレース。

後に、エドマンド・ポターはカーライル選出の自由党議員になります。7人あった子供のうち、1832年生まれの2番目の息子ルパートは、1851年にロンドン大学の文学士号を取得し、1857年に法廷弁護士の資格を得ます。

ルパートはポター家の旧友の娘、ヘレン・リーチと結婚。リーチ家もまた熱心なユニテリアンで、マンチェスター近郊のステイリーブリッジで綿花商と造船業を営む裕福な家庭でした。

ヘレンとルパートは1863年8月にハイド・ユニテリアン教会で結婚し、ロンドンのアッパーハーリーストリートに引っ越します。1866年、ヘレンが最初の子ビアトリクスをみもごっているときに、彼らは閑静なケンジントン広場に建つ堅牢な4階建ての家、新築のボルトンガーデンズ2番地を手に入れるのです。

「ありがたいことに、私の教育はおろそかにされました」

ビアトリクス・ポターの父と母は、ともに有能な芸術家でした。動物を緻密に描写するルパートの才能と、明るい水彩画を描くヘレンの才能をビアトリクスは見事に受け継いだのです。

ヘレン・ビアトリクス・ポターは1866年7月28日に誕生し、乳母と女家庭教師たちに育てられます。ボルトンガーデンズ2番地の4階にある広い明るい部屋は、彼女の成長とともに、その後47年間にわたって、子供部屋、勉強部屋、アトリエ、研究室となっていきます。

幼いビアトリクスは、1872年3月に弟のウォルター・バートラム（バートラムで通用しているが家族はバーティーと呼んでいた）が生まれるまで、ほかの子供たちと触れ合うことはほとんどありませんでした。最終的にはバーティーが寄宿学校に送られて、彼女は友を失うことになります。

1929年にアメリカの友人に送った手紙でビアトリクスは、「ありがたいことに、私の教育はおろそかにされました･･･教育によって独創性が幾分薄れることになったでしょう」と綴っていますが、これはさほど正直な気持ちを語ったものではないと思われます。

厳格なスコットランド人の乳母アン・マッケンジーは、彼女をうまくあやして最初の言葉を引き出し、よちよち歩きを助け、散歩に連れて行き、民話を読んで聞かせ、妖精と魔女の存在を信じさせました。ともにすばらしい絵の才能を現した姉弟は絵を描くことを奨励され、とりわけ父は写真を与えて模写を勧めます。ビアトリクスは書物を与えられ、書物は彼女の想像力を養います。こうして、文と絵を使って楽しく創作するという芸術的かつ文学的な早期の影響を受けることになったのです。

オックスフォードのジョン・ウィルソン教授からの贈り物で別の教授が著した新しい本は、とりわけ彼女の記憶に残ることになりました。「瞬く間にテニエルの挿絵に夢中になってしまったので、“ルイス・キャロル”についてどんなことが言われていたのか憶えていません」と彼女は記しているほどです。

4階の子供部屋は、ミス・フローリー・ハモンドが読み書きと算術を教えるためにやってきた1872年に勉強部屋になります。後にミス・キャメロンが絵を教えますが、ビアトリクスは彼女とほとんど目を合わせることはありませんでした。

17歳になって個人教授から解放されると思ったちょうどそのときに、ビアトリクスより3歳年上にすぎないアニー・カーターが、ドイツ語とラテン語を教える新しい家庭教師として雇われます。最初は絵を描く時間が減ると不満に思ったビアトリクスは、ミス・カーターと一緒に過ごし、指導を受けるのを楽しく思うようになっていきます。この親交は、後に計り知れない結果を導くことになるのです。

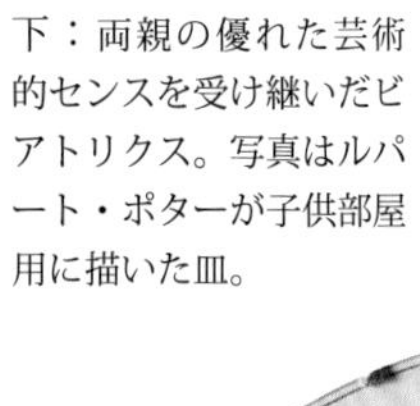

下：両親の優れた芸術的センスを受け継いだビアトリクス。写真はルパート・ポターが子供部屋用に描いた皿。

上：子供の頃のビアトリクス、弟バートラム、両親のルパートとヘレン、ペットのスポット（スパニエル犬）

ビアトリクスとバーティーは動物の絵を描くのを楽しみました。勉強部屋では、トカゲ(トビーとジュディ）、パンチと名づけられたカエル、イモリ、さらにはヘビやコウモリなどのペットが飼われていました。後にビアトリクスは、ウサギ、ハリネズミ、ヤマネを飼って世話をしました。

左下：ボルトンガーデンズ2番地の勉強部屋でビアトリクスが描いたトカゲのスケッチ。

下：『不思議の国アリス』中のテニエルの挿絵は初期の作品のインスピレーションに。

「世界で一番好きなところ」

1891年にジェシー・ポターが亡くなると、カムフィールド・プレースは売りに出されます。後に、恋愛小説家のバーバラ・カートランドが館を購入し、彼女は2000年に亡くなるまでここに住み作品の制作に没頭しました。

ビアトリクスは15年以上にわたって、暗号を使った秘密の日記をつけていました。身近に親しく話せる人がいなかった彼女には、どこか感情を吐き出す場が必要だったのです。その中で彼女は、成長過程で自分に影響を及ぼした人々や場所、出来事について詳細に綴っていきます。

ロンドンの家は重苦しい雰囲気だったようですが、そこから逃れる楽しみもあったようです。3カ月間家族の休暇でスコットランドに滞在し「世界で一番好きなところ」と彼女が表現したハートフォードシャーのカムフィールド・プレースに住む大好きな祖母ジェシー・ポターと過ごすひとときがなによりの楽しみでした。

パースシャーにはダルガイズ・ハウスがあり、大人たちは猟や釣りを楽しみ、ビアトリクスとバーティーは、野生生物、動物、花を見つけて楽しみました。二人はウサギを捕まえて絵を描き、時には飼いならして、ロンドンまで持ち帰ったこともあります。二人はイモムシ、猟獣、野の花の絵を描きました。また、フクロウ、ヨタカの鳴き声、ノロジカの吠え声に耳を傾けました。ビアトリクスは新しい解放感を満喫し、ここで幸せなときを過ごしました。

上：ビアトリクスが初めて湖水地方を訪れた年は、ポター家がウィンダミア湖に近いレイ・カースルを別荘に借りた1882年。

右：ルパート・ポターが撮影したビアトリクス(15歳) とスポット 。

熟達したアマチュア写真家のルパート・ポターは、最も辛抱強い被写体である娘の写真を数多く撮影しています。現存する写真から、可憐な長髪の少女がダークカラーの髪を後ろでまとめ、均整のとれた丸みのある容貌と率直で聡明な眼差しの魅力的な若き淑女へと成長していくのが見てとれます。

大聖堂参事会員のローンズリー、弁護士のサー・ロバート・ハンター、社会改革者のオクテーヴィア・ヒルは、1895年にナショナル・トラストを創設します。ビアトリクスの父、ルパート・ポターは最初の生涯会員の一人となっています。1902年にナショナル・トラストが入手した最初の不動産はダーウェントウォーター湖畔の108エーカーのブランドルハウ・エステートでした。1943年にビアトリクスが亡くなった時、ビアトリクスが所有していた15の農場と4,000エーカー以上の土地、そしてハードウィック種の羊の群れがナショナル・トラストに遺贈されています。

上：ビアトリクスに影響を与えた人物で終生の友となる大聖堂参事会員ローンズリー。

上流社会の画家サー・ジョン・エヴェレット・ミレーとその妻エフィーはルパートの友人で、彼らはスコットランドに滞在する一家を訪ねています。ビアトリクスのお気に入りの友、ウィリアム・ギャスケルもまた一家を訪ねています。

それまで10年にわたって一家が楽しい休暇で向かっていたのはパースシャーでしたが、1882年にビアトリクスの父は、湖水地方のウィンダミア湖西岸に建つノルマン様式を模した大建築物のレイ・キャッスルを別荘に借りています。ビアトリクスは16歳で湖水地方を初めて訪れます。そして後にビアトリクスの名は常にこの湖水地方と関連づけられるようになるのです。

彼女とバートラムは新しい動物の出没場所、さまざまな花や動物の発見にいそしみました。また、この間には新しい友達もたくさんできました。その中の一人で、熱心な湖水地方保護活動家のハードウィック・ローンズリー牧師は、すでに自然の景観の高潔さに深く感じ入っていたビアトリクスに多大な影響を与えることになります。ローンズリーは当時、ナショナル・トラストの前身となる湖水地方保護協会を立ち上げていました。

上：わずか10歳でこの花の絵を描いたビアトリクスは、年齢を超えた芸術的な才能を現す。

「目を覚ませ、目を覚ませ、ザリファ！」

ビアトリクスの家庭教師アニー・カーターは土木技師のエドウィン・ムーアと結婚することになり、1885年にポター家を去りました。ビアトリクスは彼女をよく訪ね、1887年のクリスマスイブに彼女の最初の子ノエルが生まれてからは特によく訪れています。そしてビアトリクスとノエル少年との文通は、彼女の人生を変えることになるのです。

ビアトリクスは風邪や頭痛で病気がちでしたが、リューマチ熱だったと思われる病気と闘う助けになると信じて、長い豊かな髪の房は切り落とされ、1880年代後半に父が撮った写真には髪を短く刈り込んだ姿で収まっています。ビアトリクスは何カ月も病床に伏していました。

快方に向かうにつれて、ビアトリクスは、バートラムのものだったつがいのコウモリを含めて、勉強部屋で飼っていた動物たちを描くことに、以前にも増して楽しみを見いだします。コウモリは世話をするのが難しく、彼女は1羽を逃がしてやり、もう1羽はクロロホルムで気絶させて正確に寸法を測り、注意深く剥製にしました。彼女は、ハエトリグモ、トカゲ、チョウ、きれいなモリネズミのデッサンを描き、インクとペンを使って自分のお気に入りのペットの一つでザリファという名の年取ったヤマネのスケッチをシリーズで描きました。ヤマネは、「目を覚ませ！目を覚ませ！ザリファ！金のクッションを下におろして」と眠そうな婦人を説き伏せるジョン・ロックハートの鼓舞する短詩にちなんで名づけられました。「私たちは"目を覚ませ、目を覚ませ、ザリファ！"とよく言ったものでした」と、往年のビアトリクスは述懐しています。

上と下：一家のディナー用にビアトリクスが作ったプレースカード。これらの挿絵はクリスマス・新年のカードとして出版。

上：ザリファはビアトリクスが随分かわいがったペットのヤマネで、『妖精のキャラバン』のデッサンのインスピレーションの元に。

出版社のフレデリック・ウォーン社は、1891年にビアトリクスが最初に送ったカードとスケッチの採用を断わりましたが、「本の形にしたアイデアとデッサン」を見てみたいが考えてみてはどうかと提案してきました。何年か後に彼女はこれを実行するのですが、これにはきわめて重大な結果が待ち受けていました。

上：ベンジャミンバニーを思いつかせ、そのモデルとなったビアトリクスのペットのウサギ、ベンジャミン・バウンサー。

上：カムフィールド・プレースで父が撮影した20歳のビアトリクス。彼女の豊かな髪は長い闘病生活中に短く刈られた。

10年が経つ頃、ビアトリクスは上階の太ったきれいなウサギを茶色の紙袋にひっそりと入れました。彼女はペットショップでベンジャミン・バウンサーを買い、たびたびデッサンを描き、本当にかわいがっていました。

おじのヘンリー・ロスコーはビアトリクスが一家のディナー用に作ったプレースカードに感心して、出版社に持ち込んではどうかと提案しました。ベンジャミンをモデルにして、ビアトリクスは6枚をデザインし（「一番よいデザインは教会の中で思いつきました」と言っています）、出版社のリストを作りました。最初の制作分は丁重に断られました。しかし、バートラムが作品をヒルダスハイマー＆フォークナー社に持っていくと、挿絵は採用されます。フォークナー氏はそれに6ポンドを支払い、ほかにも見せて欲しいと言いました。

作品はクリスマス・新年のカードとして出版され、「HBP」のイニシャル入りで、詩をつけた4.5ペンスの小冊子の挿絵に使われました。

ビアトリクスは大喜びです。後にビアトリクスは「私はまず･･･カップ一杯の麻の種をバウンスにあげました。しかし翌朝になり彼のデッサンを描こうと思ったら、バウンスはすっかり酩酊していて、まったく手におえない状態でした」と記しています。

天賦の才に恵まれたアマチュア

ひょろ長くてぼさぼさの白いあごひげを長く生やしている自然誌研究家チャーリー・マッキントッシュの当時の写真は、ピーターラビットが数多くの冒険を繰り広げる庭の持ち主、マグレガーさんに偶然を通り越してよく似ています。

ポター家は休暇で定期的にスコットランドに向かい、1890年代の初め頃、キノコ研究に対するビアトリクスの興味が強くなったのは、ここに滞在していたときのことです。彼女は土地の自然誌研究家でダンケルドの郵便配達人、「博識だが非常に恥ずかしがりやの男性」で郷土の植物相と動物相、特にシダとキノコの専門家であるチャーリー・マッキントッシュと旧交を温めています。

ビアトリクスは数年にわたって自然界だけでなく自然史博物館や後にはキューガーデンでも研究を続け、ついに、菌類胞子の発生に関する論文を男性ばかりのリンネ協会に提出しました。論文はあまり重要なものとはみなされませんでしたが、何十年か後に、その理論は正しかったことが分かり、彼女が描いた数多くの水彩画は現代の菌学者がキノコを確認するのに使われています。

Eastwood Dunkeld
Sep 4th 93

My dear Noel,
I don't know what to write to you, so I shall tell you a story about four little rabbits. whose names were—

Flopsy, Mopsy, Cottontail and Peter

They lived with their mother in a sand bank under the root of a big fir tree.

右：1893年の簡素な絵手紙には、いずれ世界中で知られるようになるキャラクターたちが登場。

上：自然誌研究家のチャーリー・マッキントッシュはビアトリクスのキノコ研究を助けただけではなく、ピーターラビットの大敵、マグレガーさんのインスピレーションの元になっていると考えられている。

上：キノコに対するビアトリクスの興味は小さな頃に芽生えた。ここでは、子供だったビアトリクスによって自然の中でキノコが描かれている。

きれいなベルギー・ウサギのピーター・パイパーは、新しい主人に連れられてあちこち旅をし、1893年にビアトリクスとスコットランドに滞在しました。このウサギがピーターラビットの物語のインスピレーションの元になったことは確実で、彼は9年間にわたってビアトリクスのモデルを務めました。

1893年9月3日、ビアトリクスは非常に珍しい食用キノコの「オニイグチ」を見つけて、その場で絵を描いています。そのときの興奮は何にもまさるものだったのですが、ビアトリクスはその翌日、病気のノエル少年に宛てて、「ノエル君へ。あなたになにを書いたらいいかわからないので、4匹の小さいうさぎのお話をしましょう。なまえは、フロプシーにモプシーにカトンテールにピーター。小うさぎたちはお母さんといっしょに、大きなモミの木の下の砂の穴の中にすんでいました」と簡素な絵手紙を送りました。

6歳になるノエル・ムーアは、ビアトリクスの最後の家庭教師を務めたアニー・ムーアの長男でした。次の日ビアトリクスは、今度はノエル少年の弟のエリックに宛てて、「エリック君へ。あるところに、ジェレミー・フィッシャーどんという名のかえるがいました･･･」と絵手紙を書きました。

これらは、彼女の「魔法の目」で見たものを描いたものでした。彼女は、自然誌研究家に備わった才能で非常に珍しいキノコを見分けて絵を描き、また、周囲の自然を熱心に観察することで、いずれ世界的に有名になるキャラクターを誕生させたのです。ビアトリクスにとって幸運だったことに、アニー・ムーアの子供たちは彼女の絵手紙が大好きで、その多くを大事にしまっておいたのです。

上：ビアトリクスの最も有名な絵手紙の受取人であるノエル・ムーア。

「きれいな本」

私家版『ピーターラビットのおはなし』は今では非常に稀少なもので、蒐集家は、保存状態の良いものなら、25,000ポンド以上で取引されます。

ビアトリクスからの絵手紙はムーア家で熱烈な歓迎を受け、その内容に子供たちは夢中になりました。1900年に、その動物の物語はもっと幅広い読者を持てるのではないかとアニー・ムーアが提案したとき、ビアトリクスは旧友の大聖堂参事会員ローンズリーに助言を求めたのです。彼女は、「ピーターラビットのおはなしとマグレガーさんの庭」のモノクロの原稿を用意し、カラーの口絵をつけました。オリジナルのストーリーはふくらんでおり、ハードウィック・ローンズリーは協力を惜しまないと申し出ました。

しかし残念ながら出版社はさほど関心を示してくれず、1901年に、ビアトリクスはこれを自費出版することに決めています。クリスマスプレゼントにちょうど間に合うように、『ピーターラビットのおはなし』は250部印刷されました。ビアトリクスはこれをすべて売り尽くし、すぐに200部の追加印刷を注文しなければなりませんでした。

一方、ハードウィック・ローンズリーはビアトリクスのストーリーを詩に変えて、私家版が出る前に、彼女の原稿を他の出版社に送りました。何年か前に、本なら興味があるかもしれないとほのめかしていたフレデリック・ウォーン社は、デッサンは気に入ってくれたが、詩についてはそれほど興味を示しませんでした。フレデリック・ウォーン社は「簡素な語りで伝えられる多くのことがあると思う」と手紙を出し、挿絵を彩色するよう求めました。

下：『ピーターラビットのおはなし』の原稿見本より。

but round the end of a
cucumber-frame whom
should he meet but
Mr McGregor!

25

26

ピーターラビットの物語のインスピレーションの元になったベルギー・ウサギのピーター・パイパー。

上：ウォーン社から出版される前に、ビアトリクスは1901年に最初の絵本を自費出版した。

ビアトリクスはただちに文章に手を加え、挿絵に色をつけはじめました。出版契約は1902年6月に交わされました。フレデリック・ウォーン社版『ピーターラビットのおはなし』の初版8,000部は、同年10月の刊行前にすべて売り切れとなります。

ビアトリクスは出版担当者のノーマン・ウォーンと協力しながら創作活動を進め、伝承童謡、「ネズミの本」（これは『グロースターの仕たて屋』で、ビアトリクスが最初に自費出版しています）、「きれいな本」（アイデアが浮かんでうきうきしているときに彼女がよく使った言葉）になるだろうカエルの物語を含めて、新作について多くの提案をしてはノーマンを驚かせました。

1903年に出版されるのは『グロースターの仕たて屋』と『りすのナトキンのおはなし』の2冊になるとノーマンが決める頃までには、出版担当者と創作的な作家との間に強い友情の絆が芽生えつつありました。

上：1902年に最初に出版されたクロース装丁のウォーン社版。

バートラムは、ビアトリクスがまだ『ピーターラビットのおはなし』の挿絵に取り組んでいた1902年5月に、休暇先の家族に加わりました。秀でた芸術家だったがアルコール中毒の困った弟は、ひそかにメアリー・スコットと結婚の約束を交わしていました。二人は駈け落ちして1902年11月にエディンバラで結婚し、ボーダーズのアンクラムに移り、そこで農場を経営しました。結婚を認めなかった両親が自分たちに義理の娘がいることを知ったのは、1913年になってからのことでした。

「自分で生計を立てられるという考え」

上：ウォーン家が住んでいたベッドフォードスクエア。これは1905年に描かれたもの。

ロンドン・ベッドフォードストリートのフレデリック・ウォーン社のオフィスの外で、会社の創始者の息子、ノーマン・ウォーンと仕事の打ち合わせを済ませるビアトリクスを待つポター家の馬車を見かけることがだんだん多くなっていきました。ノーマンにはハロルドとフルーイングという二人の兄がいて、兄たちも会社経営に携わっていました。

未婚でビアトリクスより2歳年下のノーマンは、母と未婚の姉ミリーと一緒に、ベッドフォードスクエアに建つ大きな家に住んでいました。この出版担当者と作家の間で頻度を増して交換されていた手紙から、ビアトリクスの家族は、娘が彼とその家族と親しくなっていくことをこころよく思っていなかったのは明らかでした。ノーマンが姪の一人、ウィニフレッド・ウォーンのために作った人形の家を見に行く約束をビアトリクスが取り消さなければならなくなったとき、彼女は、「私の母はとても"きびしくて"･･･疲れ果てます」と書いています。その美しい造りは、1904年に出版される『2ひきのわるいねずみのおはなし』に登場する人形の家のモデルになるものでした。結局、この訪問は実現するのですが、ビアトリクスにとって辛辣な言葉が交わされ、滞在は不快なものとなりました。

両親の懸念をよそに、ビアトリクス自身は多忙で幸せな創作活動期に入っていきます。"ネズミの本"（『グロースターの仕たて屋』）と『りすのナトキンのおはなし』はウォーン社から1903年に出版されていて、どちらも非常によく売れました。私家版の『グロースターの仕たて屋』はその前年に500部印刷されています。

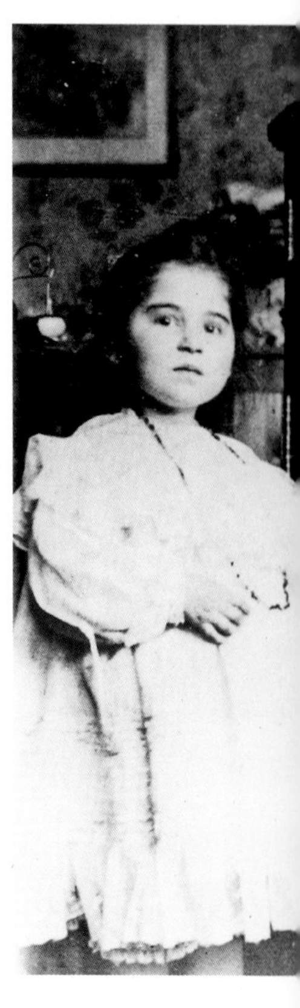

上：ウィニフレッド・ウォーンと、『2ひきのわるいねずみのおはなし』に登場する彼女の人形の家。

右下：ベンジャミンバニーはハンカチに玉ねぎをくるみ、従兄弟のピーターラビットは不安そうに耳をそばだてている。『ベンジャミンバニーのおはなし』より。

ビアトリクスとノーマン・ウォーンは、クリスマスの時期に合わせて一年に2冊の本を出版するというパターンで合意しました。ビアトリクスは1903年の夏の休暇をケジックに近いフォー・パークで過ごし、『ベンジャミンバニーのおはなし』（1904年）の題材とするウサギと「想像できるかぎりのウサギに関連するあらゆる背景」のスケッチを描きました。これは、ベンジャミンと従兄弟のピーターラビットが大胆にもマグレガーさんの庭に戻る物語です。

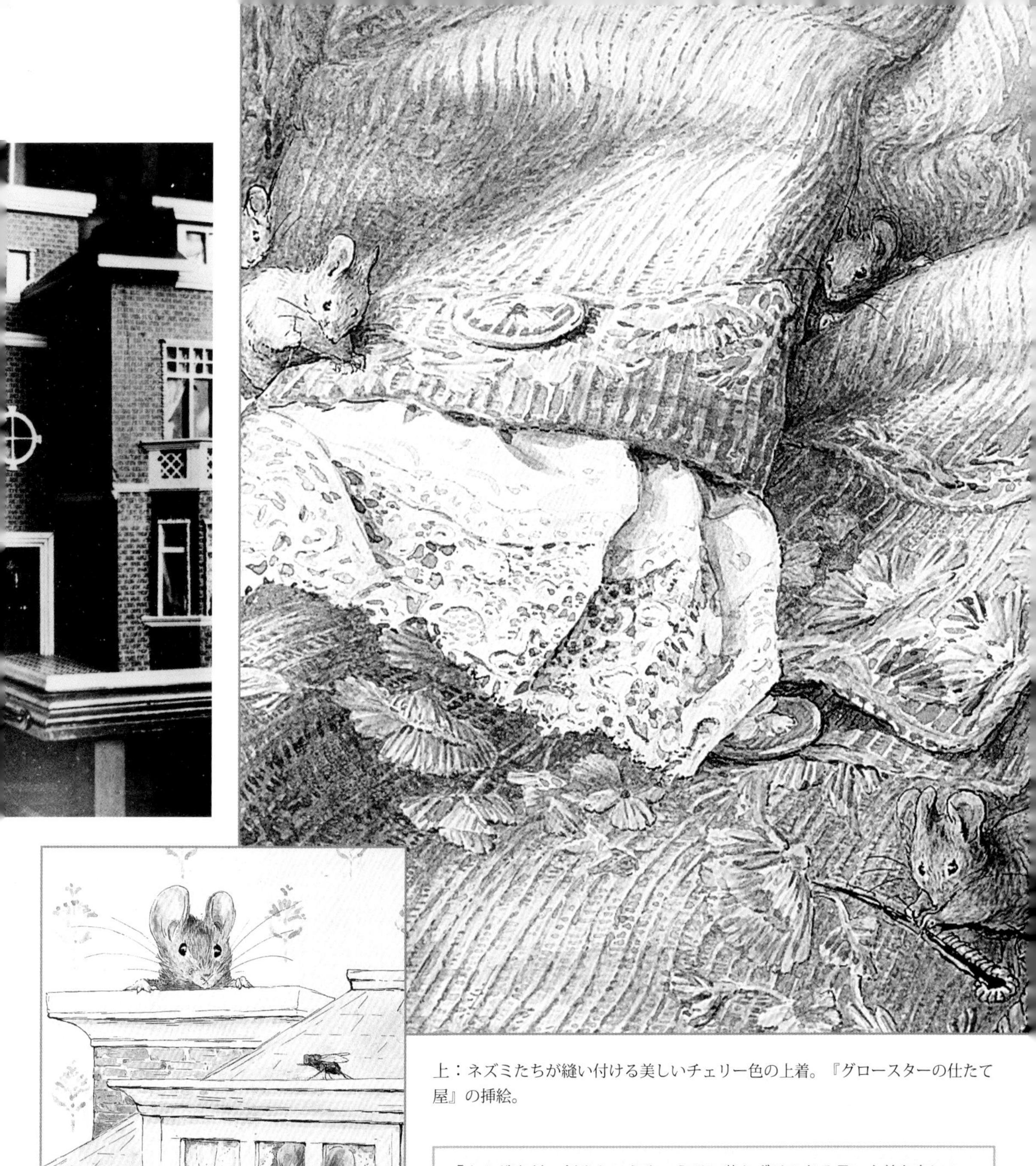

上：ネズミたちが縫い付ける美しいチェリー色の上着。『グロースターの仕たて屋』の挿絵。

上：人形の家の煙突にはすすがないことを発見するトム・サム。

「人々がまだ、剣やかつらや、えりに花かざりのある長い上着を身につけたころ――紳士たちが袖口をひだかざりで飾り、金糸の刺繍のパデュソイやタフタのチョッキを着たころのこと――グロースターの町に、ひとりの仕たて屋がすんでいました」これは、ビアトリクスお気に入りの「小本」に生き生きと描かれた冒頭部分です。『グロースターの仕たて屋』には、刺繍が施されたチョッキや物語の中心である深いピンク色の上着（これはビアトリクスがヴィクトリア＆アルバート博物館で長い上着を模写したもの）など、彼女の最も美しく緻密な挿絵がたくさん描かれています。彼女は、デッサンを描けるようにスタッフがテーブルの上に広げてくれるまでは、「不便な薄暗い隅っこ」で18世紀の服を凝視しながら時を過ごしました。

愛と喪失

ビアトリクスが描いたニューランズ渓谷の景色。『ティギーおばさんのおはなし』の舞台。

下：ビアトリクスの最初の恋人、ノーマン・ウォーン。

ビアトリクスとノーマン・ウォーンは長い間、1905年に出す本について話し合いました。ビアトリクスはハリネズミの物語に反対するノーマンを説き伏せます。洗濯屋のティギーおばさんは、ダルガイズで過ごした休暇ではっきり記憶している洗濯屋の実在の女性、キティ・マクドナルドを元にしています。モデルになったのは、いつでも身近に存在した動物で、ビアトリクスが飼っていたペットのハリネズミのミセス・ティギー。湖水地方のケジックに近いニューランズ渓谷のすばらしい風景の挿絵は、物語の中で確かな臨場感を生んでいます。

ケジックの南はニア・ソーリー村で、ポター家が何度か休暇で滞在し、ビアトリクスが田舎家や店、庭、小道、丘、花々のスケッチを描いたところです。ソーリーは美しい村落で、彼女の人生において最も重要な場所となっていますが、当時は『パイがふたつあったおはなし』という別の本の舞台でした。

ビアトリクスとノーマンは、家族の休暇旅行に備えながら、ほとんど毎日手紙を交換しあいました。それは、改まってはいるが、興味の尽きないものでした。両親の干渉があって、ビアトリクスがベッドフォードストリートのオフィスを訪ねるのを延期しなければならないことが何度もありましたが、彼女とノーマンは、決して二人きりになることはできなかったという事実にもかかわらず、親しい関係を育んでいきます。

1905年7月25日、ビアトリクスは妻になってくれないかというノーマンの手紙を受け取ります。ビアトリクスは大喜びで承諾します。

しかしボルトンガーデンズの自宅では、特に母からの激しい反対と完璧な否定が待っていました。「商人」に嫁ぐなんてありえない。自分の娘が出版業者の妻になるなんて許せない。ビアトリクスは、両親への忠誠心と恋人への愛の板ばさみになって苦しんだに違いありません。ですが、ビアトリクスは確かに自分を愛してくれているこの優しくてハンサムな男性と結婚すると言い張ったのです。彼女は、肉親にしか知らせないことに同意しますが、指輪ははめると言って譲りませんでした。ビアトリクスが39歳のことでした。

しかし、婚約のわずか数日後にノーマンは病気に罹ります。8月初めにビアトリクスが両親とウェールズに向かう前に、二人がもう一度会えたかどうかもはっきりとしていません。8月24日にビアトリクスは、将来のことを優しく冗談めかしながら、長い手紙を彼に書き送っています。しかし彼がその手紙を読むことはありませんでした。ノーマンは、ビアトリクスにプロポーズしたちょうど1カ月後の8月25日に白血病で逝去しました。ビアトリクスは悲しみに暮れました。

上：ビアトリクス・ポターが飼っていたハリネズミのミセス・ティギーをモデルにしたキャラクター、洗濯屋のティギーおばさん。

左下：現在のニア・ソーリー村。

下：ソーリーは、『パイがふたつあったおはなし』のこの挿絵の舞台となっている。

ビアトリクスは、後に別の男性と幸せに結婚していたときでさえ、いつでも最初の婚約者の指輪をはめていました。彼女は1918年にソーリーの自分の農場の畑でその指輪をなくしたときは、とても悲しみました。幸いにも指輪は見つかっています。「あの指輪がないと、私の手はとても奇妙で落ち着かない感じがしました」とミリー・ウォーンに書き送っています。

丘陵に安らぎを求めて

ビアトリクスは、旧友の大聖堂参事会員ローンズリーが保護運動をしていたハードウィック種の羊の専門家になっていきます。ついには、飼育する羊で多くの賞をとるようになり、1943年にハードウィック種牧羊協会の会長に選出されますが、会長職に就くことなく生涯を閉じます。

ノーマンの死に続くビアトリクスの悲嘆は、自分の家族から慰められることもなく、耐え難いものだったに違いありません。しかし、近い関係で情愛のあるウォーン家の人たちは、彼女が両親から得ることのできなかった支えをそっと与えてくれました。彼女はすでにノーマンの姉ミリーと親しくなっており、二人は終生の友となります。「彼は長生きしませんでしたが、有意義で幸せな人生をまっとうしたわ」とビアトリクスはミリーに書き、こう付け加えています。「私は来年の始めには、新しい出発をしなくては」

新しい出発は思ったよりも早くやってきます。それは、おそらくノーマンの了解の下に、1905年の初めにビアトリクスが計画していたものでした。彼女は、かつてスケッチを描いたことのある村落ニア・ソーリーに、17世紀の農家、農場付属建物、果樹園のある34エーカーの農場を購入します。ヒルトップ農場は、自分の本の印税とおばハリエットの遺産で、1905年秋には彼女のものとなります。後にビアトリクスは、彼女に農場を売却した地主がかなり値段をつりあげていたことを知ります。

右：ビアトリクス・ポターの湖水地方の最初の家、ソーリーのヒルトップ。

右上：湖水地方の荷馬橋の上にいるハードウィック種の羊。ビアトリクスはその羊の飼育の専門家に。

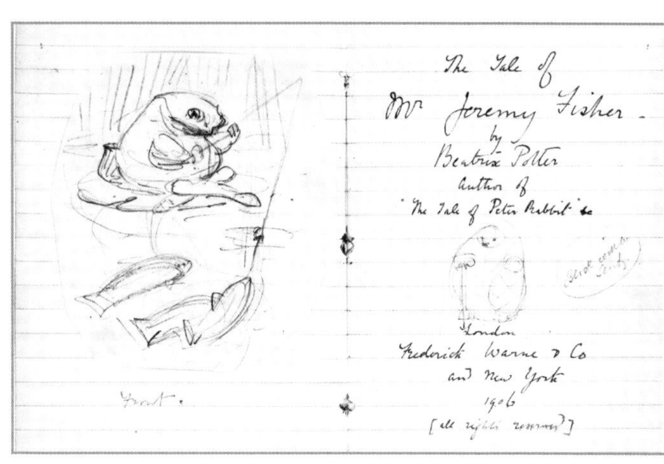

The Tale of
Mr Jeremy Fisher
by
Beatrix Potter
Author of
"The Tale of Peter Rabbit" &c
London
Frederick Warne & Co
and New York
1906
[all rights reserved]

上：元々はエリック・ムーア宛ての絵手紙だった『ジェレミー・フィッシャーどんのおはなし』の原稿見本の題扉見開きページ。

常に両親に従順な娘だったため、ビアトリクスがロンドンから引っ越すことはありえなかったのですが、彼女はできる限り多くロンドンを脱出してソーリーに向かいました。ビアトリクスは、ヒルトップ農場に妻と二人の子供と住んでいたジョン・キャノンを農場管理者としてそのまま雇い入れました。ビアトリクスは鍛冶屋とその妻のサタースウェイト家と一緒にソーリーに滞在しました。また、新しい自分の農場を隅から隅まで測量し、庭の配置を決め、農場付属建物の修理を命じ、ジョン・キャノンと家畜について話し合い、自分の牧草地で頑丈なハードウィック種の羊の群れを新たに確立していきました。将来のことを考えて、彼女は、キャノン家のためにヒルトップの増築計画を指揮します。古い農家は、ソーリーに滞在する際のビアトリクスの家となりました。

上：スイレンの葉にすわるジェレミー・フィッシャーどん。本に使われている完成した挿絵。

ヒルトップ農場付近の平和なモス・エクルズ・タルンに生えるスイレンは、1893年にエリック・ムーア少年に送ったジェレミー・フィッシャーというカエルの絵手紙をビアトリクスに思い出させました。ヒルトップに大ネズミがたくさんいたことが、こねこのトムを狙うひげのサムエルというネズミの物語が生まれるきっかけとなります。ヒルトップ農場の入口、新しい納屋、錬鉄製の門は、『あひるのジマイマのおはなし』に登場します。

第二の恋のチャンス

ヒルトップは『ひげのサムエルのおはなし』に堂々と登場し、古い農家の中の様子が正確に記録されています。その後ずっと集め続けたビアトリクスが大好きな古いオークの家具が挿絵に描かれているのが分かります。

ビアトリクスは両親の家に縛り付けられている状態からの解放ともいえるものを達成していましたが、それでもロンドンが彼女の主な住居でした。1909年の初め頃までには、彼女は重要な児童文学作家とみなされるようになっていて、14冊の本はかなりの印税を生んでいました。ほかにも、キャラクターをもとにした壁紙、ティーセット、人形などのライセンス商品からの収入がありました。

1905年にヒルトップを購入したとき、だまされやすいロンドナーだと思われたためか金額をふっかけられたことを知ったため、その後ビアトリクスは賢いビジネスウーマンとして満足のいく値段で土地を購入し、家畜を増やし、農場の改良と拡張を続けていきました。彼女はこの頃、出版社の効率の悪さに頭を悩まされ始めることになります。そのときの担当者はハロルド・ウォーンでしたが、印税の小切手と計算書の発送、問い合わせへの回答、あるいはライセンス契約の処理に遅れがみられるようになりました。「このような混乱状態にあることに私は非常に苛立ちを覚えます」と彼女は彼に手紙を送っています。彼女は、土地や建物が売りに出たときにそれを購入できるように、自分の財力を適切な状態に保つことを切望していました。

右：ビアトリクスが1909年に購入したニア・ソーリーのカースル・コテージ。1913年に居住。

右上：ヒルトップの内部は『ひげのサムエルのおはなし』に登場。ここで描かれているのは階段の上にいるサムエル。

左：ビアトリクスが描いたグウェニノグの庭の水彩画。写真の『フロプシーのこどもたち』の挿絵の元となる。

1908年に彼女は、アンブルサイドとホークスヘッドにオフィスを持つW・H・ヒーリス・アンド・サンという地元の事務弁護士事務所に相談します。ホークスヘッドのパートナーは従兄弟で、どちらもウィリアム・ヒーリスという名でした。ビアトリクスの担当者は38歳の「アップルビー・ウィリー」で、「ホークスヘッド・ウィリー」と区別するためにそう呼ばれていました。背が高くて容貌の整った、やや恥ずかしがりやのヒーリスは、新しいクライアントの依頼を上手に扱って、ビアトリクスが1908年後半に牧草地と林地を、また1909年5月には別の農場を買うのを助けています。農家とヒルトップに隣接する25エーカーあまりの土地があるカースル農場を購入したことで、ビアトリクスは地主とみなされるようになり、彼女は自分の責任を真剣に受け止めました。

彼女の新しい弁護士は、助言を提供し、彼女の非公式な不動産管理人になっただけでなく、やがては大切な友人で仲間ともなるのです。

ビアトリクスのおばとおじ、ハリエットとフレッドのバートン夫妻の家があるデンビーのグウェニノグは、子ウサギたちがレタスを食べて眠気に負けてしまう『フロプシーのこどもたち』の庭の絵の元になります。彼女はこの庭を未完のおとぎ話の中で、「庭は家の後ろにあって、コケにおおわれた赤いレンガの壁で囲まれていました。アンズ、リンゴ、ナシがたわわに実り、季節になるとモモが実りました」と表現しています。1909年に出版されたもう1冊の本『「ジンジャーとピクルズや」のおはなし』には、ソーリーの景色、そこの田舎屋、動物、以前の本に出てきた人気のあるキャラクター多数が登場しています。

結婚と農場経営

ピグリン・ブランドと一緒に逃げ出した黒い子豚のピグウィグは、ビアトリクスの農場管理人が嫌った子豚がモデルです。「ピグウィグ」は哺乳瓶でミルクを飲み、彼女のベッド脇のバスケットで寝ました。ビアトリクスは、腕を組んで散歩する二匹の豚の絵は自分とウィリアムを表すわけではないが、そこに広がるのは、いつも日曜の午後に散歩したとき見た風景だと言っています。

ビアトリクスは時間をかけてゆっくりとノーマン・ウォーンを愛するようになっていきますが、ウィリアム・ヒーリスも同様でした。彼らは、畑の境界線を測量し、証書を調べ、土地や農場の改良計画を立て、一緒に仕事をしながら非常に親しくなっていきました。

『キツネどんのおはなし』が出版された年の1912年6月に、ウィリアムはビアトリクスに求婚します。二人の将来が幸せなものになることをビアトリクスは疑いませんでしたが、両親の反応を考えると不安でいっぱいになりました。50歳に近い裕福で地主でもある女性、しかも著名な作家で芸術家が従順な娘であるために両親のことを気にかけなければならないとは、今の世では異常に思えるかもしれません。彼女の両親は実に衝撃を受け、意志を競い合う闘いが始まります。

多くの点でビアトリクスは変わっていきます。彼女はファッションには一切関心がなく、農作業の実用着と木靴を身につけ、農場の動物たちと一緒にいるとき、庭にいるときが一番幸せでした。しかし、彼女は二つの家、ソーリーの自分の家とボルトンガーデンズの両親の家を取り仕切っていました。父は具合が悪く、母は相変わらず気難い性格でした。極度のストレスにさらされました。決心しようとしているときに、彼女は気管支肺炎にかかってロンドンで何週間も病床に付すことになり、心臓をひどく患ってしまいます。健康を取り戻すと、1913年早春に彼女はヒルトップに戻り、そこでウィリアムと一緒に、カースル・コテージに住む計画を立て、ヒルトップの西側の広い土地の購入に取り掛かります。

上：ピグリン・ブランドのために踊ってみせているピグウィグは、ビアトリクスが育てた子豚がモデル。

右：ビアトリクスとウィリアム・ヒーリス。

上：ビアトリクスとウィリアムがよく楽しんだ風景を見下ろしているピグリン・ブランドとピグウィグ。

上：ウィリアムがビアトリクスにプロポーズしたのと同年に出版された『キツネどんのおはなし』で、なぐり合いの喧嘩を始めるキツネどんとアナグマ・トミー。

5月に弟バートラムが、この11年間自分は結婚していたと突然告白し、反対していたビアトリクスの両親はついに折れることとなります。両親は不承不承ビアトリクスの結婚を承諾しますが、無期延期するよう娘に求めました。また病気になり、ロンドンに戻ったとき、彼女は決心を固めます。ビアトリクスは10月に挙式の日取りを決めます。『こぶたのピグリン・ブランドのおはなし』が出版されたわずか数日後のことでした。

ビアトリクス・ポターは1913年10月15日、ケンジントンの格式あるセントメアリーアボッツ教会で、彼女が喜んで使う呼称となるウィリアム・ヒーリス夫人になりました。新婚の二人はすぐにソーリーに戻りました。新しく手に入れる白い雄牛をウィンダミア駅まで取りに行かなければならなかったのです。

その最初のクリスマスは、ウィリーの多くの身内たちと一緒に、ウィリー家が住むアップルビーのバトルバロー・ハウスで迎えられます。ユニテリアンのビアトリクスの家族は決してクリスマスを祝わいませんでしたが、この年、彼女は遊びに加わり、非常に楽しくクリスマスを過ごしました。彼女の新しい人生はまさに始まりつつあったのです。

新しい人生、そしてスキャンダル

右：ビアトリクスとバートラム。リンデス・ハウで父とともに撮影。

ようやくビアトリクスとウィリーの生活は、幸せの手本のように落ち着いたものとなっていきます。彼女は、農場を管理し、絵を描き、家族や友人そして彼女の本の熱心な愛好家たちと手紙のやりとりをしました。スポーツ好きな夫は、弁護士業を続け、時間を見つけてはカントリーダンスをし、ビアトリクスも見物人ではあったけれどもこれを楽しみました。でも、それでも乗り越えなければならない困難がありました。彼女の父ルパート・ポターは1914年5月に胃癌で死去します。ビアトリクスはもちろん、父が病気の間、多くの時間をロンドンで過ごし、父の死後は母を湖水地方に呼び寄せました。

新婚の二人の新居となるカースル・コテージの改修工事の完成はたっぷり1914年までかかり、これがより一層の不都合を引き起こするのですが、ビアトリクスがついに欲しかった生活を見つけだしたことは疑う余地はありません。「私はとても幸せで、あらゆる点でウィリーに満足しています。今はもう、後ろを振り返らないのが最善でしょう」と彼女はミリー・ウォーンに書き送っています。

第一次世界大戦は労働力の不足をひきおこしました。「耕作人が耕作作業の最中に召集されました」と彼女は記しています。しかし、最大の心配事は、フレデリック・ウォーン社からきちんとした印税支払書が届かないことでした。1914年に彼女はハロルドに手紙を書いています。「新年が過ぎて、おっしゃっていたとおりには何も明細書をお送りくださいませんでした。見つけられる最後のものは、1911年の明細書です！！」

第一次世界大戦の初め頃、ビアトリクスの母ヘレン・ポター（今なおビアトリクスは母が苦手だった）はソーリーに家を借りて住んでいました。リンデス・ハウはポター家がかつて休暇を過ごしたことのあるウィンダミアの大きな家で、ここが売りに出されたときに、この家はヘレンのために購入され、彼女は、お手伝い4人、庭師2人、運転手1人を連れてここに居を定めました。この頃はビアトリクスにとって、1918年に弟バートラムがわずか46歳で死去した悲しい時期でした。ヘレン・ポターは93歳まで生きて、1932年12月に亡くなります。

右：ビアトリクスの母ヘレン・ポターために購入され、今はホテルとなっているウィンダミアのリンデス・ハウ。

上：ハロルド・ウォーンの失墜後に出版されることになる最初の本『アプリイ・ダプリイのわらべうた』。

ビアトリクスが抱いた疑惑は当たりました。1917年3月に、ハロルド・ウォーンは逮捕されます。彼は、ジャージーに自分が持っている破産しかけた漁業会社に出版会社から資金を流用しようとして、合計2万ポンドの偽造為替手形を使っていたのです。彼は裁判にかけられ、有罪判決を受け、ワームウッド・スクラッブズで18カ月の重労働の刑に処されています。

ビアトリクスはその間に、出版された19冊の本の挿絵の原画を取り戻し、自分のロンドンの弁護士に版権の保護を依頼します。それから、ハロルドがウォーン社の活動に二度と関与しないという条件で、彼女は、『アプリイ・ダプリイのわらべうた』と2冊の塗り絵を出版して、兄弟の残りの一人のフルーイング・ウォーンが会社を再建するのを助け始めます。1919年5月、フルーイングが指揮を執って新会社フレデリック・ウォーン・アンド・カンパニー・リミテッドが復活します。その最大の財産は、既刊と今後のビアトリクス・ポターの作品でした。

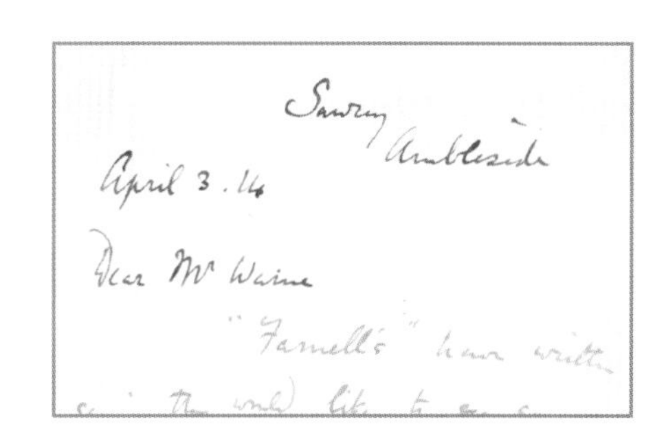
Sawrey
Ambleside
April 3. 14
Dear Mr Warne
"Farnell's" have written

上：ビアトリクスは自身の財政状態のことで気をもむ手紙をハロルド・ウォーンに何度も書く。

湖水地方を救う

ビアトリクスはソーリーで多くの訪問客を迎え、中には世界のあちこちから彼女に会いにやってくる人もいました。1936年7月のこと、中年の聖職者が訪れます。ビアトリクスは最初、その人物が、40年以上も前に自分がピーターラビットの絵手紙を送ったノエル・ムーアだとは気づきませんでした。

ビアトリクスは1928年に、ウィンダミア湖沿いの水際地帯を開発の危機から救うために、彩色デッサンをシリーズで描きました。デッサンの多くは、ヒルトップのビアトリクスを訪ねるためにイギリスまでやってくる大勢のファンがいた、アメリカで販売されました。1年以内に土地は開発を免れました。

ビアトリクスは、1920年に亡くなった大聖堂参事会員ローンズリーとの親交を通じて、田園地方の景観を保護するためには闘うことも必要でありうることを学び、それを実行します。彼女は1924年に、2,000エーカーの土地からなる壮観なまでに美しいトラウトベック・パーク農場を購入していました。また、その6年後には、マンク・コニストン・エステートを買い取って、ナショナル・トラストが資金を調達できた際にその半分を原価で売却することを申し入れます。ナショナル・トラストはこれを受け入れ、彼女の優れた農場経営能力を承知していたので、トラストのためにその土地全体の管理を彼女に依頼しました。

この頃、『妖精のキャラバン』(アメリカ)と『こぶたのロビンソンのおはなし』が出版されましたが、今やビアトリクスは農場経営に時間を奪われていました。羊飼いのトム・ストーリーは、彼女のハードウィック種の羊を飼育してショーに出品しながら、20年間彼女と一緒に仕事をし、彼女の雌羊は10年のあいだ地元のショーで負けたことがありませんでした。インタビューを受けてトムはこう言います。「私たちは気が合いました…それどころか、彼女のことはすべてわかっていました。下を向いているヒーリス夫人に出会ったら、そのまま通り過ぎます。彼女が顔を上げていたら、『おはようございます』と言うのです」

1934年になる頃には、彼女は出版社からの新作依頼に応えなくなっていました。「私は"書き尽くして"しまいました…それに、絵を描くには目が大変になってきたのです」と彼女は伝えました。彼女とウィリーは、一日の仕事を終えたあと十分に幸せで、二人で丘を歩き、花がいっぱい咲いている牧場を過ぎて、彼らがハスを植えて魚を放流していたモス・エクルズ・タルンに向かいました。ビアトリクスは静かに腰をおろし、ウィリーは、ジェレミー・フィッシャーどんよりはやや運に恵まれて、夕刻の静寂の中で釣竿をおろしました。

上：湖水地方の一角に広がるウィンダミア湖。土地開発を阻止しようとして、1928年にビアトリクス・ポターが保護運動を行った場所。

右：羊飼いのトム・ストーリー。ビアトリクスと受賞したハードウィック種の雌羊の一頭とともに。